故事背景

　　小米是个小游侠！和古代的侠客一样，她爱四处闯荡，也爱打抱不平。不管是在城市里，还是去乡村，总有古怪有趣的事情发生在她身上：她会骑着云鹿上天帮嫦娥捉玉兔，会钻进龙王洞里叫龙王爷起来下雨，会驾着五彩云去找救命的菊花泉，还能上戏台当一回"哮天犬"！她帮灶神腌过咸菜，偷偷参加了杜鹃仙子的告别宴会，还差点儿被贪吃的蛇妖撞下水去！有一次，她不小心进了一个螺壳，就变成了像拇指姑娘一样的小不点儿……

　　小米的一年四季充满了神奇的冒险，这当中自然也少不了她的好朋友。还等什么？赶快一起进入小米的多彩世界吧！

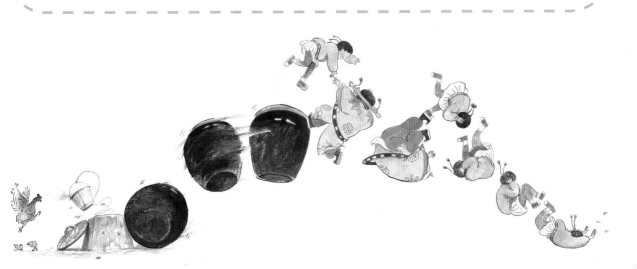

人 物 介 绍

小米

可不是一般的小姑娘！她大胆莽撞，对什么事都好奇，独立自主，总能自己解决问题。最让人羡慕的是，她有一块神奇的云符，能在需要时给她帮助。

丁丁

是个书虫，老因为胆子小被嘲笑，但他总能出人意料地想出解决问题的好办法，是个忠实的好朋友，常常和小米一起去冒险。

金蟾

是个不靠谱的家伙，爱吹牛皮，爱耍小聪明，有时还会临阵脱逃，真正是"成事不足败事有余"！不过有时它也会歪打正着，给小米帮上大忙。而且，它的来头可不小呢！

洪爷爷

是小米最好的朋友，不过他从哪里来，连小米也不知道。他有一个神奇的宝葫芦，不但什么都能装，还会带着他飞天遁地，可酷啦！

嘟嘟

又勇敢又可爱，干什么事都一马当先。不过它也是只贪吃的小狗，一受到美食的诱惑，可顾不了什么大局了！

出发！奇幻世界就在你身边

小米游侠记

第一辑

看戏

旭爽/文　素一,秋秋/图

朝華出版社
BLOSSOM PRESS

冬至前一天，小米跟着爸爸妈妈回爷爷家。车子开上村口桥头时，太阳已经落到屋背后去了。

"戏台！"小米忽然叫起来，"妈妈，爸爸！我看到戏台了！"
"哦，戏台还是空着啊。"爸爸说。
"真没劲……"小米转过头去。

每年进村时小米都盼着看到戏台，可每年的戏台都是空落落的。爸爸说，在他小时候，每年冬至前村里人都会请戏班来唱戏，给这个村的老祖宗过生日。要连唱五天五夜呢！

"不唱戏了，老祖宗一定很寂寞。"小米说着又看向车窗外。

一群鸭子默默游过河面，跟往年一样，阿月嫂又忘了把它们赶回家。

爷爷家的院子似乎也很寂寞。小米冲进门，和赶着出来的爷爷撞了个满怀。她摸摸爷爷的鼻子，还好，爷爷看起来很快活。

跟往年一样，饭桌上，爷爷又热了一锅酒酿。"小米是闻到爷爷的酒酿熟了，才来的呀！"他总是这么说。

　　爷爷和爸爸在喝老酒，把酒碗碰得咣啷响。条案上的收音机在咿咿呀呀地唱："都说那真君二郎好本事，两刃三尖戟在手，天下也无敌……"

　　小米偷偷往嘴里倒了一大勺酒酿，哼哼道："爷爷的酒酿，天下也无敌！"

咚！收音机忽然一震：“纵你哮天犬千般神来万般威，我小沉香手执灵斧身不回，誓要劈开这万仞呀高山，救得我亲娘归！”

爸爸重重碰了下爷爷的碗，一拍桌子：“哈，哮天犬亮相啦！”

爷爷一仰脖子喝干了酒，啪的一声把碗倒扣在桌上，抄起筷子喝道："哮天犬展神威啦！"爸爸怪叫一声，猛地跳起来，嘴里叫着："沉香娃娃休得狂妄，看俺哮天犬怎么收拾你！"

咚！咚咚！当！当当！爷爷手里的筷子一起一落，正合着收音机里的鼓点。

爸爸踏着鼓点，随着爷爷的手势，左挪右闪，上蹿下跳。好个哮天犬！

小米大口喝着酒酿，乐陶陶地看着爷爷和爸爸。"咚咚当当"声密密麻麻落进耳朵里，她眨巴着眼睛，感到脑袋越来越沉。"哮天犬"的影子在灯光下模糊起来……

恍惚中听到了爷爷的声音："小人头吃醉啦。"

小米觉得身子一轻，仿佛变成了小沉香，晃悠悠地往高山上爬。一些鼓点残留在耳边，咚，咚咚，咚咚咚。

　　鼓声蓦地止住了。小米微微张开眼，她正躺在爷爷家的大床上，周围是沉甸甸、静悄悄的黑暗。

　　黑暗里透着幽光，潮水一样卷过地面，漫上了墙壁。

　　黑暗颤抖着，变幻着。小米看到了那座万仞高山，小小的沉香正扛着斧头往山顶爬，然后高高举起斧头……

轰隆……

高山裂成了两半。有个什么东西从劈开的山里飞了出来。是沉香的妈妈吗?

小米坐起来。暗影里挣脱出一只蝴蝶的轮廓,正缓缓扇动翅膀。她赶忙揉一揉眼睛。

一只黑蝴蝶掠过眼前,消失在门外。
小米翻身下床,追了出去。

黑蝴蝶在月光下飞。啪，啪，小米的脚步打在石板路上；咚，咚，远处又有鼓声隐约传来。巷子尽头，一片闹腾腾的光亮在闪动。

　　咚咚咚咚咚咚咚——哐！猛然间一声响亮的铜锣，似乎是从水面上滚了过来。小米眼前豁然一亮，一股热浪夹杂着满满的气味和声响，扑面而来。黄昏时寂寞的晒谷场现在都是人，或挤着挨着，或坐着站着。原本空落落的戏台如今灯火通明，望得见幢幢的人影来去。

　　"唱戏啦！"

小米心花怒放。她钻进密密实实的人群，一门心思向戏台挤去。往前，往前，一定要到最前面去！

可看戏的人一层围着一层，简直密不透风。这可怎么办呢？

她泄气地揉着胳膊肘，绕着人群团团转。这时有人扯了扯她的辫子："硬挤没用的，看我的！"

小米一扭头——一个留着西瓜头的男孩子冲她咧嘴一笑，弯腰钻到了凳子底下："跟我来！"

小米摸摸辫子，哼了一声，跟着钻了进去。他们两个爬过一条条长凳，拨开一只只大脚。

头顶上不时传来呵斥声："小鬼头，别乱钻！""哦哟哟，哪个在拉我的脚？"

鼓点越来越近了，兵器在头上锵唧唧作响。

踏！踏！咚！小米一抬头，正好同戏台上打鼓的老爷爷打个照面。他看来比其他人都老，腰却挺得比谁都直。台前还立着两人，一个高举宣花神斧，一个手执三尖两刃刀，却是沉香和二郎神。

咚咚！沉香一抖大斧。

咚咚！二郎神调转长刀。

咚锵咚锵咚锵咚锵咚锵咚锵咚锵——咚！——咚！——咚！鼓点不紧不慢地落下来，二郎神和沉香同时撒开步子，绕着场子打起转来。

鼓声震得戏台发抖，那打鼓的老爷爷双手一起一落间，似乎能判定沉香和二郎神的胜负。小米望着跳动的鼓槌出了神。

"那个打鼓的是我阿爷，厉害吧？"西瓜头男孩儿在她耳边大声说。

"我爷爷也会打鼓！"小米说。

咚——啪啪——咚！二郎神架住沉香的大斧头，一步一步往后退。

"二郎神真没用！"小米打了个哈欠。

"我阿爷带我去过后台，那里可好玩儿了！"男孩子一拉小米，"走，去后台！"

"沉香就要打赢了吧？"

"早着呢。走！"

后台的门静悄悄地掩着，他们轻手轻脚走进去。房间里灯光黯淡，好像什么人也没有。

扑笃，扑笃，扑笃，黑暗里有个轻轻的声音有节奏地响着，是从兵器架旁边那口古怪的大箱子里发出来的。

小米凑近大箱子。

扑笃！箱盖忽然一跳。

咔嗒！箱盖猛地弹开了！

一道刺眼的光飞窜出来，扑向小米。

小米觉得脑袋一紧——哎呀，一件狗皮衣从箱子里飞出来，把她从头到脚裹得严严实实。

这时背后响起个声音："哮天犬，还磨蹭什么，该你亮相啦！"

没等小米回头……
"去！"有人在她背上用力一推。

小米身不由己往前冲去，只觉耳际锣鼓喧腾，眼前蓦然一亮，脚下却一个趔趄，重重扑倒在地上。

一瞬间鸦雀无声。顿了顿，轰隆隆的笑声在她的头顶上炸开了。

小米从箍得紧紧的头套里望出去：一张张大嘴，有牙的，没牙的，都在笑，在笑她。

她抬起头，揉揉额角，脑袋一片空白，耳朵里尽是隆隆的笑声。

哮天犬展神威啦！

咚！蓦地里一记响亮的鼓点震开了笑声，小米只听得有人喝道："哮天犬展神威啦！"

咚咚 咚咚

是那个打鼓的老爷爷！他威风凛凛地站起身子，双手翻飞，把鼓擂得山响。

小米豪气顿生。她用力一擦鼻子："哼，豁出去了！"

沉香扶着
宣花神斧，正笑
得打跌，冷不
防，咚！"哮天
犬"纵身一跃，
直扑向他。

他慌忙举
起斧头，对准小
米扫去，小米赶
紧煞脚，身子往
后一仰。锵！面
上一阵凉风拂
过，斧子堪堪擦
过鼻尖，好险！

咚锵咚锵咚锵! 咚锵咚锵咚锵! 咚, 咚, 咚! 鼓点急雨一般落下。小米还没站稳, 沉香已收住斧头去势, 反手削了回来。眼见斧头来势汹汹, 小米急中生智, 双手往前一扑, 一个筋斗翻了过去。

溜啰！！

台下响起喝彩声，小米手心里捏了把汗。

她刚想喘口气，就听到沉香大喝一声，大斧挟着风声，又呼呼劈将下来。小米暗叫不好，正不知怎么办时——

咚！鼓声戛然一顿，耳边听得那打鼓的老爷爷朗声道："溜——啰——！"

沉香愣了愣。小米瞅准空隙，一骨碌往边上一滚，溜进了后台。

　　刹那间，所有声响和光亮都消失了。小米觉得身上一松，摸摸脑袋，那件狗皮衣已经不见了。她爬起身，摸黑向门外走去，只听到自己的心不住地扑通、扑通乱跳。

　　寒气扑面而来，耳边都是纷乱的脚步声。

　　"散了散了，回去困觉。"

　　小米晕乎乎走着，有股馋人的香味在冷风里浮动……

酒酿！

戏台边上的酒酿摊子还没收，她踮起脚，看着雪白的酒酿圆子在铁锅里翻滚。

"喂！哪家的小鬼头？去！去！酒酿可不能白吃的。"卖酒酿的大叔粗声粗气地说。

"哼！"有人在小米头顶上重重哼了一声。

好耳熟的声音！小米连忙回头，啊，是打鼓的老爷爷！他摸摸小米的脑袋，瞪了酒酿大叔一眼。

"啊……哈哈！原来是您家的小姑娘！来，来，快吃碗酒酿暖暖肚子！"

酒酿吃到肚子里，全身都变得暖洋洋了。小米紧挨老爷爷坐着，看他把一支香烟放到嘴里。

"您比沉香厉害。您把鼓一停，他就不敢动啦。"小米说。

"哼！"老爷爷吐出一个烟圈，"下次就让哮天犬打赢沉香，好不好？哈！"他又喷出一大口烟雾。

烟气缓缓散开，白茫茫一片。

小米咂咂嘴，快活地打了个哈欠。远处的月亮好像就在眼前晃动……

迷迷糊糊地听到老爷爷在说："小人头吃醉啦。"小米觉得身子一轻，好像坐上了一条船。船顺着水，一颠一颠往前飘。水面上有隐隐约约的曲子声，似乎是老爷爷在唱：

"我格祖父会起早，挑挑担子乡下跑，

从日出走到月上梢，同月亮婆婆结相好……"歌声越来越远，船慢慢停下了。

"小米，太阳晒屁股啦！"似乎是爷爷的声音。小米睁开眼睛，她正躺在爷爷家的大床上，周围是明晃晃的阳光。

她慢腾腾走下楼，阳光把堂屋照得闪闪发亮。爷爷正从院子里进来。

"哈，小米你昨晚钻灶头了吗？怎么鼻子上黑乎乎一块？"他掏出手帕，擦擦小米的鼻子。

"爷爷，我昨晚看戏去了，昨天晚上戏台在唱戏。"

"哈哈，那可是个好梦。"

爷爷捏了捏小米的鼻子："我也梦到戏台了。还见到了我阿爷——他坐在台上敲大鼓。他在的时候，村里唱戏是一定要请他去打鼓的……"

今天是冬至。爷爷说，今天村里每户人家都要拜老祖宗，老祖宗说不定也会回家来看看。

"戏台冷清这么多年，阿爷你一定蛮寂寞的……"爷爷拈着香，对着条案弯下腰，嘴里轻轻说着。跟往年一样，条案上摆满了老祖宗们喜欢的酒菜。

小米看着爷爷蹲在火盆边，用木棍拨弄燃烧着的纸钱。火焰熏红了他的脸，纸灰挣脱火焰，像一只只蝴蝶，悠悠飞上了天空。

一个熟悉的影子掠过眼前。

"黑蝴蝶！"她脱口叫道。

那只黑蝴蝶飘上条案，落在了杯口。

"嘘！"爷爷轻声说，"是我阿爷回来喝酒啦。"

游侠小百科

评剧

京剧

豫剧

越剧

黄梅戏

中国戏剧地图

　　中国的戏曲与希腊的悲剧和喜剧、印度的梵剧并称为世界三大古老的戏剧文化，经过长期的发展演变，逐步形成了以"京剧、越剧、黄梅戏、评剧、豫剧"五大剧种为核心的中华戏曲百花苑。

流传于河北省一带，习称"蹦蹦戏"或"落子戏"，又有"平腔梆子戏""唐山落子""奉天落子""平戏""评戏"等称谓，但最终以"评剧"之名闻名全国。在唱、做、念、打各种艺术手段的运用上，评剧的唱功最为突出，伴奏乐器分武场和文场。武场有板鼓、梆子、锣、镲等；文场有板胡、二胡、中胡、低胡、琵琶、笛、笙等。

评剧

曾称"平剧"，腔调以西皮、二黄为主，用胡琴和锣鼓等伴奏，被视为中国国粹，中国戏曲三鼎甲"榜首"。京剧的前身是"徽剧"，徽班艺人进京后，与来自湖北的汉调艺人合作，同时又接受了昆曲、秦腔的部分剧目、曲调和表演方法，通过不断的交流、融合，最终形成京剧。在 2010 年 11 月 16 日，京剧被列入《人类非物质文化遗产代表作名录》。

京剧

起源于河南，是中国第一大地方剧种。豫剧唱腔铿锵大气、抑扬有度、善于表达人物内心。在关键剧情上，一般都安排有大板唱腔，唱腔流畅、节奏鲜明、极具挑战性，一般吐字清晰，易被观众听清。故事内容往往节奏鲜明、矛盾冲突尖锐，适合演绎帝王将相的历史故事。通常音乐伴奏用枣木梆子打拍，故早期得名河南梆子。

豫剧

起源于"落地唱书"，是中国第二大剧种，有第二国剧之称，又被称为"流传最广的地方剧种"，在国外被称为"中国歌剧"。越剧长于抒情，以唱为主，声音优美动听，表演真切动人，唯美典雅，极具江南灵秀之气；多以"才子佳人"题材为主，善于塑造典型的艺术形象。

越剧

原名黄梅调、采茶戏，唱腔淳朴流畅，分花腔和平词两大类：花腔以演小戏为主，富有浓厚的生活气息和民歌风味；平词是正本戏中最主要的唱腔，常用于大段叙述，抒情，听起来委婉悠扬。黄梅戏以明快抒情见长，表演质朴细致，真实活泼。2006 年 5 月 20 日，黄梅戏经国务院批准列入《第一批国家级非物质文化遗产名录》。

黄梅戏

越剧《劈山救母》
人物介绍

姓名：三圣母
属性：神仙
兵器：宝莲灯
攻击方式：照
战斗力：75%

姓名：二郎神
属性：神仙
兵器：三尖两刃刀
攻击方式：砍、戳
战斗力：85%

兄妹 →

宠物 →

夫妻

父子

师徒

姓名：哮天犬
属性：神兽
兵器：狗牙
攻击方式：撕咬、吐口水
战斗力：60%

姓名：刘先生
属性：人类
兵器：颜值
攻击方式：耍酷
战斗力：99%

姓名：沉香
属性：半人半仙
兵器：宣花神斧
攻击方式：劈、砸
战斗力：95%

姓名：霹雳大仙
属性：神仙
兵器：拂尘
攻击方式：甩
战斗力：不可估量

故事简介

话说，三圣母偷偷嫁给了刘先生，生下男孩儿沉香。二郎神知道后大怒，用法术把三圣母压在了华山底下……

十三年后，小沉香拜霹雳大仙为师，学得一身好武艺，终于用神斧劈开华山，救出了母亲。

但问题来了，三圣母被压在华山下的时候，刘先生又娶了一个老婆，现在怎么办呢？

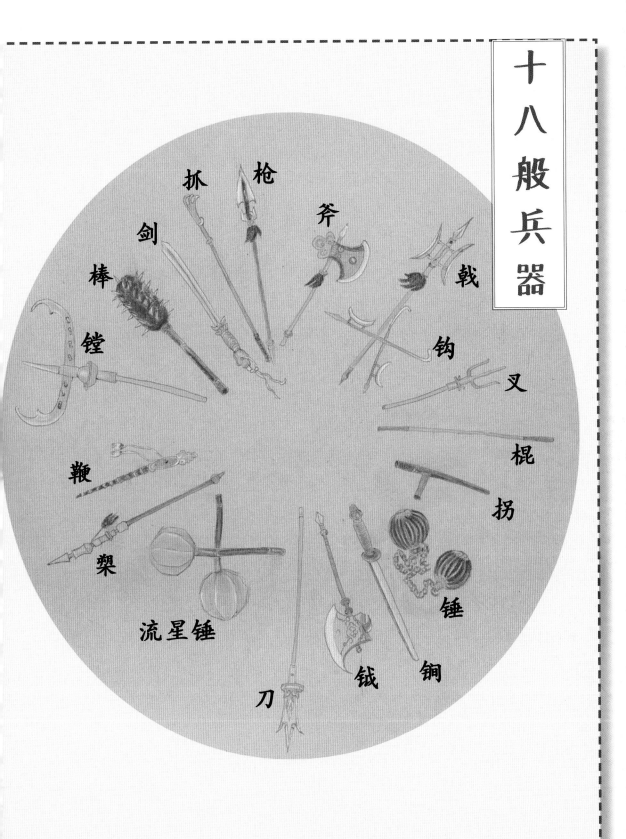

十八般兵器

戏剧常用乐器

二胡

唢呐

琵琶

柳琴

拍板

板鼓

三弦

锣

笛子

钹

扬琴

戏剧建筑

戏剧是人们抒发情感、演绎生活的重要艺术形式，古今中外的戏剧家创作了许多感人的故事。而戏剧的演出当然要有场所。

在中国古代，戏园、茶楼是城市里常见的戏剧演出场所，戏台和观众都在室内，有专业的戏班进驻表演。戏班的管事往往跟当时的著名文人建立起朋友关系，文人来写剧本，他们来表演，因此出现了很多脍炙人口的佳作。

在乡村，人们通常在村口露天搭建戏台，供节庆时消遣。有些剧目与祭祀相关，用来在丧礼或宗祠祭祀时演出，表达人们对死者的敬意。农闲时村民们自娱自乐，生活有滋有味。

这些表演场所无论是室内还是露天，都有共同之处：戏台高出地面，舞台四角的柱子撑起一个顶棚，面对观众的柱子上通常有楹联，台上两扇门帘通往后台，是演员登台和退场的通道。观众则面对舞台而坐，观众席和舞台一样，是四方形的。

西方的剧场则有很大不同。古代西方的剧场，表演者的空间是在地面上，而观众席则围绕着表演场地，逐级分布在台阶上。所以，我们看到著名的古罗马斗兽场是一个圆形的建筑。实际上很多西方古代剧

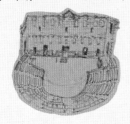

场建筑都是类似的，圆形的观众席围绕着圆形舞台。那后台在哪里？有的是在观众席的最底下一层，还有的是在地下，这就看设计师的意思了！

随着时代发展，中西方文化不断交流、融合，在剧场建筑方面也互相影响，形成了现代化的新剧场。现代剧场

根据表演内容、形式的不同需求进行设计，在功能性上有一定区分，更适应现代生活方式。

人们离不开戏剧，而戏剧的表演场所当然也会不断发展，剧场建筑越来越多地成为建筑艺术的典范，正说明了人们对戏剧的热爱。

你能说出几个著名的剧场建筑吗？

小米游侠记

出发！奇幻世界就在你身边

第一辑

☆ 打造专属于中国儿童的游侠故事
☆ 融合传统文化知识与自然物候
☆ 激励探索精神，从身边开始认识世界

《寻龙记》

惊蛰过了，春雨却还没下，因为龙王爷睡过了头。没有雨水的滋润，就不会有好年成了！

这时，奶奶带着小米去山上挖野菜，贪玩儿的小米碰巧挖出了冬眠未醒的金蟾。金蟾神通广大，它带着小米来到一个幽深曲折的溶洞寻找龙王，想快点儿把它叫醒，没想到却遭到蝙蝠大军的袭击……小米和金蟾到底能不能找到龙王呢？

《救鹅记》

小米、丁丁和金蟾一起去春游，金蟾听到远处的鹅叫声，以为是自己暗恋的鹅仙子，拔腿就追。

小米和丁丁到处找金蟾，不小心钻进了一只大螺壳里，进入了一个奇异的世界。他们在螺壳世界里不断历险，千辛万苦才救出了鹅仙子。可金蟾还是很伤心，这到底是怎么回事呢？

《杜鹃花》

爸爸妈妈和小米去乡村玩儿，在一户人家吃晚饭。小米发现厨房里飞进许多偷东西的杜鹃鸟。她紧追着杜鹃鸟，来到茂密的森林，无意间混进了群仙宴。

原来是杜鹃仙子要回天上去了，大家都来为她送行。杜鹃仙子到底为什么离开？小米又能不能在最后关头与杜鹃仙子成为朋友呢？

扫码关注"游侠小米"

《虎头将军》

小米和金蟾在爷爷家过端午节，金蟾有幸扮演了一次"虎头将军"，却为此被小米嘲笑了一番。

端午节好热闹，爷爷带着他们去河里比赛抢鸭子。在比赛时，两条船不小心闯进了传说中住着蛇妖的芦苇荡，一时间风雷大作，波浪滔天……难道蛇妖真的存在吗？两条船上的人们互相救助，身为"虎头将军"的金蟾当然也没闲着。它到底有什么妙计呢？

《月宫大盗》

中秋夜，小米用云符变出了云鹿，准备带丁丁和金蟾去天上开开眼界，谁知道云鹿竟撞上了嫦娥。原来嫦娥正在追捕玉兔呢！

玉兔偷了霓裳羽衣，逃到了人间。它一下子变出了一大群兔子，在人间大捣其乱，把城市搅得鸡飞狗跳。小米想尽办法也捉不到这只淘气的兔子，最后幸亏丁丁想出妙计，这只贪玩儿的玉兔才无路可逃！

《菊花泉》

一只仙鹤受伤降落在小米家的晒台上，它伤得太严重，只有找到菊花泉的水才能救命。

小米用云符的法力去寻找菊花泉，她进入一片山林，遇见了一位有趣的老奶奶。老奶奶却指挥小米去摘各种果子。好不容易摘完果子，老奶奶又抛下小米独自上山去了，小米只好追上去……小米一路追着老奶奶，遇见了贪酒的五柳先生，还闯入了一座热闹的楼台，被老奶奶耍得团团转。她到底能不能找到菊花泉呢？

《腌咸菜》

立冬了，小米的爸爸妈妈要帮着外婆腌咸菜，小米则帮忙把腌菜的大瓦缸洗干净，但是她太矮小了，一不小心掉进了缸里，怎么也出不来。

多亏外婆家的灶神把她拉出了大缸，但是大缸却被撞裂了。这时候，灶神告诉小米，外婆一家和咸菜还有些特殊的渊源……原来腌咸菜不只是为了吃，还有别的意义啊！

《看戏》

小米回爷爷家过冬至节。虽然戏台已经荒废多年，但还有爷爷家的酒酿是小米的最爱，她一不小心就吃多了，迷迷糊糊地被爷爷背上了床。

在醉眼朦胧间，小米看到墙壁上飞出一只黑蝴蝶。她跟着黑蝴蝶走出家门，来到村里的老戏台。这天晚上戏台灯火通明，正在上演《劈山救母》。小米不仅客串了一次哮天犬，还认识了打鼓的老爷爷。你能猜到这打鼓的老爷爷到底是谁吗？

图书在版编目（CIP）数据

看戏 / 旭爽文；素一,秋秋图. -- 北京：朝华出
版社, 2017.7
（小米游侠记. 第一辑）
ISBN 978-7-5054-4027-2

Ⅰ. ①看… Ⅱ. ①旭… ②素… ③秋… Ⅲ. ①儿童故
事－图画故事－中国－当代 Ⅳ. ①I287.8

中国版本图书馆CIP数据核字(2017)第134982号

看戏 KAN XI

文字作者	旭 爽			
图画作者	素 一 秋 秋			
项目策划	刘 怡 赵 曼			
责任编辑	刘 怡			
创作统筹	壹勺文化传播（上海）有限公司		特约编辑	刘 扬
艺术总监	卢 璐		美术编辑	孙艳艳
封面设计	刘莎媛		排 版	蔡 惟
美术助理	南 星			
责任印制	张文东 陆竞赢			
出版发行	朝华出版社			
社 址	北京市西城区百万庄大街24号		邮政编码	100037
订购电话	（010）68996618 68996050			
传 真	（010）88415258（发行部）			
联系版权	j-yn@163.com		网 址	http://zhcb.cipg.org.cn
印 刷	北京利丰雅高长城印刷有限公司			
经 销	全国新华书店			
开 本	787mm×1092mm 1/16			
印 张	2.75		字 数	25千字
版 次	2017年7月第1版 2017年7月第1次印刷			
装 别	平			
书 号	ISBN 978-7-5054-4027-2		定 价	18.00 元

亲爱的读者朋友：

本书已入选"北京市绿色印刷工程——优秀出版物绿色印刷示范项目"。它采用绿色印刷标准印刷，在封底印有"绿色印刷产品"标志。

按照国家环境标准（HJ 2503-2011）《环境标志产品技术要求 印刷 第一部分：平版印刷》，本书选用环保型纸张、油墨、胶水等原辅材料，生产过程注重节能减排，印刷产品符合人体健康要求。

选择绿色印刷图书，畅享环保健康阅读！

北京市绿色印刷工程